Mon premier dictionnaire des animaux

Textes
Marion Lemerle

Illustrations
Bénédicte Carraz
Cathy Gaspoz
Dominique Mansion
Florence Mc Kenzie

ISBN 2-7434-2530-X
Imprimé en France par ***Partenaires-Livres***®(JL 03/02)
Loi n° 49-956 du 16 juillet 1949
sur les publications destinées à la jeunesse

Introduction

Il existe des milliards d'animaux sur notre Terre. Ils sont regroupés dans de nombreuses catégories, en fonction essentiellement de leur physique et de leur mode de vie. Mais ils se divisent tout d'abord en deux grands groupes : **les invertébrés** (qui n'ont pas de squelette) et **les vertébrés** (qui en ont un).

La première catégorie comprend la grande majorité des animaux. On y trouve de très nombreux types, par exemple :
les insectes : ils possèdent 3 paires de pattes et en général 2 paires d'ailes.
les mollusques : leur corps mou est souvent protégé par une coquille.
les crustacés : vivant généralement dans l'eau, ils possèdent 2 paires d'antennes et parfois des pinces.

Dans la seconde catégorie, on trouve des animaux qui nous sont plus familiers. Ils se répartissent ainsi :
les mammifères : animaux à poils, dont les bébés naissent tout faits et se nourrissent du lait de leur mère. Certains comme les marsupiaux (kangourou, koala) ont des bébés inachevés qui grandissent dans la poche de leur mère, d'autres comme les monotrèmes (ornithorynque) pondent des œufs.
les reptiles : ils portent des écailles. Cette catégorie regroupe les serpents et lézards, les crocodiles, les tortues.
les poissons : la plupart ont une queue, des nageoires et des écailles. Ils ne peuvent pas vivre hors de l'eau.
les oiseaux : pourvus d'ailes, de plumes et d'un bec, ils pondent des œufs. La plupart volent.
les amphibiens : naissant généralement dans l'eau, ils vivent sur terre et font leurs petits dans l'eau (grenouilles, salamandres).

Abeille

Les abeilles domestiques vivent en colonie dans des ruches, où chacune joue un rôle précis. La reine pond les œufs. Les ouvrières s'occupent de la ruche et rapportent à manger. Avec le nectar (liquide sucré) des fleurs qu'elles aspirent, elles fabriquent du miel.

Invertébré

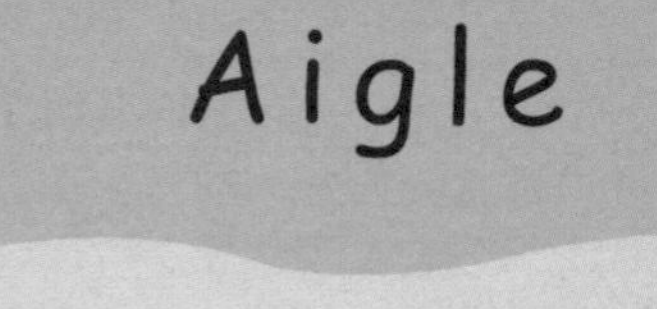

Aigle

Ce rapace a des yeux tellement perçants qu'il est capable de repérer renards, lièvres ou marmottes en plein vol. Rapide comme l'éclair, l'aigle fonce sur ses proies à 200 ou 300 km/h. Il les attrape puis les dévore avec son bec crochu, aussi tranchant qu'un couteau.

Oiseau

Albatros

L'un des plus grands oiseaux des mers est aussi un champion de vol. Il plane au-dessus des océans, en se laissant porter par les vents. Il remue à peine ses ailes et peut même dormir en vol ! Il aime suivre les bateaux car il mange ce qui est jeté par-dessus bord.

Oiseau

Alouette

L'alouette que tu entends dans les champs et les prairies aime chanter en volant. Elle monte haut dans le ciel puis redescend en spirale. La touffe de plumes qu'elle a sur la tête s'appelle une huppe.
Elle construit son nid au sol, mange des graines et des insectes.

Oiseau

Âne

Plus petit que le cheval, l'âne se reconnaît à sa grosse tête, avec de longues oreilles pointues. Son cri ne ressemble à aucun autre : " Hi Han ! Hi Han ! " Lent et craintif, il est aussi très résistant. Il aide souvent à transporter des marchandises.

Mammifère

Anémone de mer

Dans la mer, cet animal ressemble à une algue immobile. Pour se déplacer sur les fonds, l'anémone se fixe parfois sur un coquillage. En échange, elle le protège grâce à ses tentacules (sortes de bras) empoisonnés.

Invertébré

Anguille

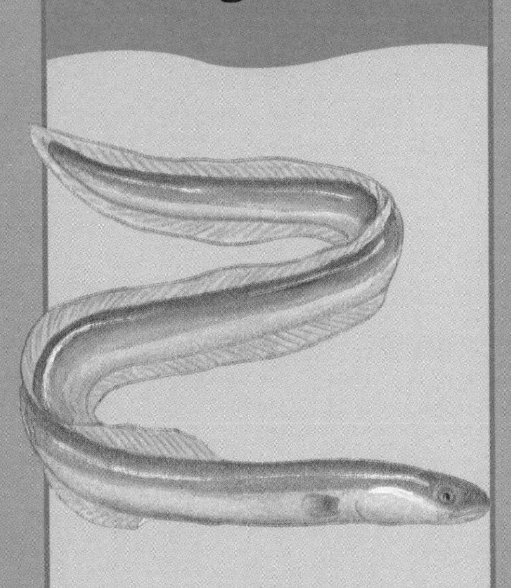

L'anguille est un long poisson qui ressemble à un serpent. Elle vit dans les rivières, mais elle pond ses œufs dans la mer. Les jeunes anguilles mettent ensuite un à trois ans pour remonter vers les eaux douces et fraîches des rivières ou des lacs.

Poisson

Antilope

Les antilopes vivent souvent en petites bandes, en Asie mais surtout dans les grandes prairies d'Afrique. Elles se nourrissent essentiellement de feuillage et d'herbe. En cas de danger, elles se donnent l'alerte en hérissant leurs poils et en poussant des cris.

Mammifère

Araignée

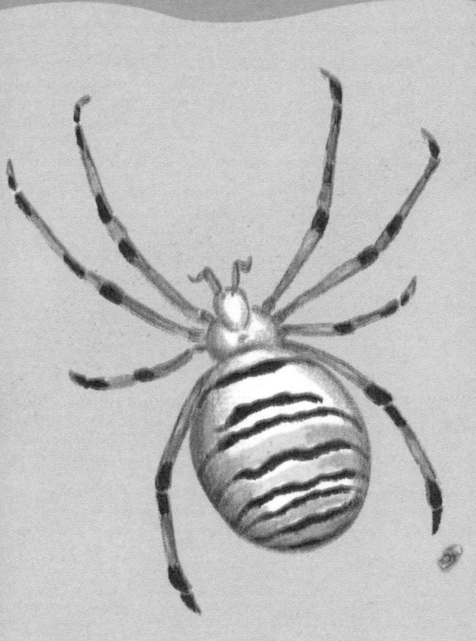

L'araignée n'est pas un insecte : elle a 8 pattes, et non pas 6. Pour attraper ses proies, certaines d'entre elles tissent une toile bien collante. Les insectes qui tombent dans ce filet ne peuvent plus en partir. Et les araignées n'ont plus qu'à passer à table !

Invertébré

Autruche

L'autruche, qui vit en Afrique, est le plus grand des oiseaux. Bien trop lourde pour ses petites ailes, elle est incapable de voler. Par contre, elle court très vite. Ses œufs, énormes, pèsent 1 à 2 kilos ! La femelle couve le jour et le mâle la remplace pour la nuit.

Oiseau

Babouin

Le babouin est un gros singe au museau nu et très allongé. Il a souvent les fesses sans poils. Il vit en bande dans les savanes africaines et les régions rocheuses de l'Arabie. Il mange des plantes, mais aussi des petits animaux et des œufs.

Mammifère

Baleine

La baleine, et notamment la baleine bleue appelée aussi rorqual, est le plus gros animal du monde. Elle vit dans la mer, mais remonte à la surface pour respirer. Elle peut avaler plus de deux tonnes de petites crevettes par jour. Son petit s'appelle le baleineau.

Mammifère

Barracuda

Ce terrible poisson vit dans les mers chaudes. Il attaque tout ce qui bouge, même les hommes ! Il a le corps allongé, une grande tête avec un long museau en pointe et une large bouche munie de grosses dents pointues et très coupantes.

Poisson

Belette

Malgré sa petite taille (moins de 20 cm), la belette est féroce. Elle n'hésite pas à dévorer souris, rats, lapins et oiseaux, même plus gros qu'elle. De nuit comme de jour, elle fouille les terriers, grimpe dans les nids, mais peut aussi saisir un petit oiseau au vol.

Mammifère

Bison

Autrefois, les bisons étaient nombreux, surtout en Amérique. Ils fournissaient aux Indiens d'Amérique de l'Ouest tout ce dont ils avaient besoin : viande, fourrure, peau… Ces gros costauds sont aujourd'hui protégés dans des réserves naturelles.

Mammifère

Blaireau

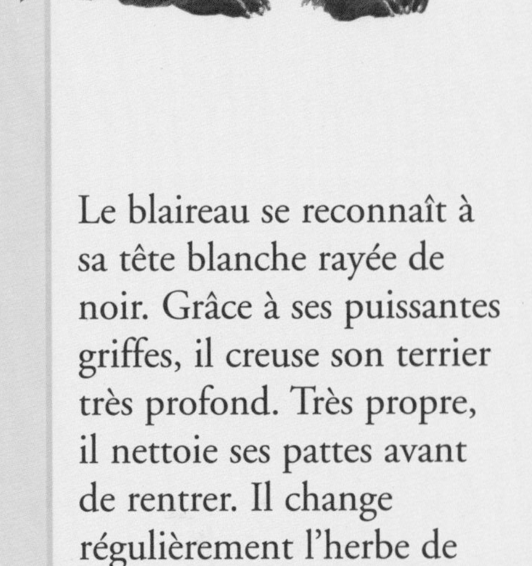

Le blaireau se reconnaît à sa tête blanche rayée de noir. Grâce à ses puissantes griffes, il creuse son terrier très profond. Très propre, il nettoie ses pattes avant de rentrer. Il change régulièrement l'herbe de sa litière et dépose ses crottes dans un trou hors du terrier !

Mammifère

Blatte

La blatte est un insecte que l'on trouve dans le monde entier. Elle vit aussi bien dans les forêts tropicales que dans les déserts ou les maisons des hommes. C'est notre fameux cafard ! Elle reste cachée le jour et sort chercher sa nourriture à la nuit tombée.

Invertébré

Boa

Le boa est l'un des plus grands serpents, mais il n'est pas venimeux. Il vit dans la jungle d'Amérique du Sud. Quand il a faim, il se suspend à une branche et attend qu'une proie se présente. Il s'enroule autour pour l'étouffer et l'engloutit tout entière.

Reptile

Bœuf musqué

Ce cousin sauvage du mouton habite les régions arctiques (autour du pôle Nord). Son épais manteau de fourrure caché sous ses longs poils le protège du grand froid. Le mâle utilise ses grosses cornes pointues pour se défendre contre les loups.

Mammifère

Bouc

Le bouc est le mâle de la chèvre. Selon la race, il est blanc ou brun, avec des poils courts ou très longs. Il est connu pour son odeur forte et désagréable. Il a des cornes sur la tête et une barbichette au menton. Ses petits s'appellent les chevreaux.

Mammifère

Bouquetin

Le bouquetin est une chèvre sauvage de haute montagne. Il grimpe jusqu'à 3 500 m d'altitude. Ses sabots sont bien adaptés aux pentes, où il fait des sauts impressionnants. Le mâle porte d'immenses cornes arrondies.

Mammifère

Bourdon

Le bourdon est une espèce d'abeille dont le corps noir et jaune est plus gros et beaucoup plus poilu. Les bourdons construisent leur nid dans la terre. C'est là que la reine pond ses œufs, qu'elle entoure de cire. Le bourdon ne pique que très rarement.

Invertébré

Bouvreuil

Le bouvreuil est un joli petit oiseau gris, avec un casque noir sur la tête. Seul le mâle a la poitrine rose. On le rencontre dans les bois, en couple ou en petits groupes. Grâce à son gros bec, il se nourrit surtout de graines et de fruits.

Oiseau

Buffle

Le buffle est l'ancêtre sauvage du bœuf. Cet animal vit en groupe. Il aime se baigner et se rouler dans la boue. On le rencontre sur tous les continents. L'énorme buffle africain est dangereux. Avec ses cornes puissantes, il est capable de se défendre contre un lion !

Mammifère

Buse

La buse est un rapace d'Europe et d'Asie qui plane au-dessus des forêts et des champs. Elle capture des rongeurs, mais aussi des reptiles, des jeunes oiseaux, des lapins ou des souris. Elle construit son nid sur un arbre pour y pondre ses œufs.

Oiseau

Cachalot

Le cachalot mâle peut mesurer 21 mètres et peser 50 tonnes, mais la femelle est plus petite. Sa bouche est énorme, tout comme sa langue et ses dents, qui atteignent 20 cm de haut ! Ce géant des mers plonge parfois très profond pour attraper calmars et seiches.

Mammifère

Calmar

Ce mollusque marin possède 10 tentacules (sortes de bras). Il attrape ainsi ses proies, puis les porte à sa bouche, située au milieu de ses tentacules. Bon nageur, il a une très bonne vue et peut changer de couleur pour se cacher en cas de danger.

Invertébré

Caméléon

Ce lézard est capable de changer de couleur pour ne pas être vu. Il se fond ainsi dans la nature, comme s'il était transparent : c'est l'art du camouflage. Il a une langue collante, très longue, qu'il déroule d'un coup sec pour attraper des insectes.

Reptile

Campagnol

Ce rongeur est différent de la souris par sa queue, plus courte, son museau, moins long, et son front. Il creuse d'immenses galeries dans la terre profonde pour profiter de la fraîcheur. Comme ses dents ne s'arrêtent jamais de pousser, il doit sans cesse ronger pour les raccourcir.

Mammifère

Canard

Les canards sauvages sont des oiseaux aquatiques, c'est-à-dire qu'ils vivent dans l'eau. Certains plongent pour attraper leur nourriture, d'autres restent à la surface. Beaucoup d'entre eux, quand l'hiver approche, partent vers les pays chauds.

Oiseau

Canari

Cet oiseau coloré vient des îles Canaries. Il est célèbre pour son chant gai et agréable. Le mâle chante pour séduire la femelle, défendre son territoire, ou quand il est joyeux. Dans la nature, les canaris vivent dans les buissons où ils trouvent des graines et des feuilles à manger.

Oiseau

Caribou

Le caribou est un renne sauvage qui vit surtout au Canada. Contrairement aux autres animaux de la même famille, la femelle, elle aussi, porte des bois (sortes de cornes à plusieurs branches). Tous s'en servent notamment pour creuser la neige, à la recherche de plantes à brouter.

Mammifère

Carpe

Ce poisson nage dans les eaux peu profondes et tièdes des lacs et des rivières. Il se nourrit de larves d'insectes, de crustacés, de mollusques et de plantes, et peut vivre très longtemps. Pour pondre ses millions d'œufs, la carpe se cache au milieu de la végétation.

Poisson

Castor

Ce rongeur aime les rivières calmes et les lacs bordés de bois. Bon nageur, il se dirige avec sa queue aplatie. Il creuse des terriers et des barrages, fabrique des huttes avec les branches des arbres qu'il a coupés de ses propres dents. Pour avertir d'un danger, il bat l'eau avec sa queue.

Mammifère

Cerf

Timide, le cerf se cache dans la forêt. Ses oreilles pointues remuent sans arrêt. Elles lui permettent d'entendre le moindre bruit. En cas de danger, il prend la fuite sur ses longues pattes toute fines, munies de sabots.

Mammifère

Chacal

Le chacal est un proche parent du chien et du loup. Il vit en Asie et en Afrique. Il se nourrit de charognes (animaux déjà morts) ou part chasser le soir en bande, notamment des gazelles. La femelle peut mettre au monde jusqu'à 9 petits.

Mammifère

Chameau

Ce drôle d'animal vit dans les déserts d'Asie. Il est capable de rester plusieurs semaines sans boire. Par contre, il se rattrape dès qu'il le peut en avalant des litres d'eau en quelques minutes ! Souvent domestiqué, il vit en groupe à l'état sauvage : un mâle et plusieurs femelles.

Mammifère

Chamois

Le chamois est un grand montagnard. Il grimpe sur les pentes et fait des sauts spectaculaires. L'été, il gagne les zones enneigées mais redescend l'hiver vers les bois et les prés où l'herbe est plus facile à trouver. Dans les Pyrénées, on l'appelle isard.

Mammifère

Chat

Il existe plus de 30 races de chats domestiques différentes. Un chat pèse en moyenne 5 kilos. Ses griffes sont rétractiles, c'est-à-dire qu'il peut les rentrer quand il ne s'en sert pas. Ses moustaches l'aident à se déplacer dans l'obscurité et ses oreilles captent des sons que nous n'entendons pas.

Mammifère

Chat sauvage

Plus gros que le chat domestique, le chat sauvage vit dans les grandes forêts et les montagnes. Il chasse, la nuit tombée, rongeurs, lièvres ou oiseaux.
Il s'approche en rampant au sol, puis il bondit. C'est aussi un excellent pêcheur.

Mammifère

Chauve-souris

La chauve-souris ressemble à une souris munie de grandes ailes (qui n'ont rien à voir avec les ailes des oiseaux). C'est le seul mammifère volant. Le jour, elle dort, la tête en bas, le corps enveloppé de ses ailes. La nuit, elle chasse les insectes.

Mammifère

Cheval

Le cheval a des oreilles fines qu'il n'arrête pas de remuer et une belle crinière. Grâce à ses sabots, il marche au pas, trotte ou galope sans se faire mal aux pattes. Pour s'exprimer, le cheval hennit. La femelle s'appelle la jument, et le petit, le poulain. Certains vivent encore à l'état sauvage.

Mammifère

Chèvre

La chèvre est la femelle du bouc. Elle aime la montagne et elle est très forte en escalade. Elle vit en groupe, sous l'autorité de la plus vieille femelle. Avec le lait des chèvres de ferme, nous fabriquons de délicieux fromages.

Mammifère

Chevreuil

Animal des bois, le chevreuil a le pelage roux en été, gris en hiver. Pour défendre son territoire, il utilise son cri qui ressemble à un aboiement de chien. Seul le mâle porte des bois. La chevrette donne souvent naissance à des faons jumeaux, parfois même à des triplés !

Mammifère

Chien

Il existe des centaines de races de chiens différentes, dont l'aspect varie beaucoup selon le cas. Mais tous les chiens ont une truffe humide au bout du museau et des griffes non rétractiles (qui ne se rentrent pas). Les chiots sont les petits du chien et de la chienne.

Mammifère

Chien de prairie

Le chien de prairie est un petit rongeur d'Amérique du Nord. Il doit son nom à son cri d'alerte, qui ressemble à un aboiement. Cousin de la marmotte, il creuse des terriers très profonds pouvant abriter des milliers d'individus qui passent leur temps à se toiletter les uns les autres.

Mammifère

Chimpanzé

Ce singe vit en groupe dans les forêts et les savanes d'Afrique. Amateur de fruits, il se régale aussi de fourmis et de termites. Pour les attraper, il plonge un bâton enduit de salive dans leur nid, puis il lèche les insectes qui s'y sont collés.

Mammifère

Chinchilla

Cet excellent grimpeur vit en colonie dans les montagnes des Andes (Amérique du Sud) mais il est en voie de disparition. Petit rongeur, il a déjà des dents quand il naît ! Quand un animal les menace, les chinchillas s'envoient des signaux sonores pour organiser leur défense.

Mammifère

Chouette

Comme le hibou (qui n'est pas le mâle de la chouette), la chouette est un rapace. Elle dort le jour (la lumière l'éblouit) et chasse la nuit. Son vol silencieux lui permet de surprendre ses proies (insectes, rongeurs, oiseaux). La chouette ulule en faisant " ou-hou-ou-hou ".

Oiseau

Cigale

La cigale est un insecte qui se nourrit du liquide sucré des plantes, la sève. L'été, au soleil, les cigales font de vrais concerts. En faisant vibrer une petite peau (le tambour) sous leur ventre, les mâles chantent pour attirer leurs belles.

Invertébré

Cigogne

La cigogne est un oiseau migrateur. Elle s'envole vers l'Afrique à l'automne, et revient en Europe ou en Asie au printemps. La cigogne blanche construit son nid sur le toit des maisons. Plus petite et craintive, la cigogne noire préfère s'installer dans un arbre.

Oiseau

Cobra

Ce serpent venimeux vit en Afrique et en Asie (où on l'appelle aussi serpent à lunettes). C'est l'un des plus dangereux du monde. Il injecte son venin mortel avec ses crochets, puis il avale sa victime tout entière, même si elle est plus grosse que lui.

Reptile

Coccinelle

Ce petit insecte peut être jaune, orange ou rouge, avec un nombre variable de points noirs. Elle est aimée des hommes parce qu'elle dévore les pucerons qui abîment les plantes. Elle dort pendant l'hiver dans des endroits abrités.

Invertébré

Cochon

Le cochon, appelé aussi porc, est élevé pour sa viande, ses poils (soies) et son cuir. Il est omnivore, c'est-à-dire qu'il mange de tout, en fouillant le sol avec son groin (museau).
Une ou deux fois par an, la truie met au monde 5 à 15 porcelets.

Mammifère

Cochon d'Inde

Le cochon d'Inde, ou cobaye, est un rongeur originaire d'Amérique du Sud. Très craintif, il s'abrite dans des terriers. Mais il est aussi devenu un animal de compagnie. Paresseux et peu sportif, c'est un gros gourmand. Il mange même ses crottes !

Mammifère

Colibri

Les colibris sont de minuscules oiseaux des forêts tropicales. Le plus petit d'entre eux, l'oiseau-mouche, mesure 5 cm et pèse 2 g ! Capable de voler sur place en battant des ailes très vite, il utilise son long bec pour attraper des petits insectes ou aspirer le nectar des fleurs.

Oiseau

Condor

Le condor est un rapace, cousin du vautour, qui vit en Amérique. Il plane avec élégance, remuant à peine ses ailes, puis il atterrit comme un avion : il allonge ses pattes, freine avec ses ailes, lève et étend la queue, puis touche le sol.

Oiseau

Coq

Le coq domestique est le mâle de la poule. Appelé poussin quand il sort de l'œuf, puis coquelet et poulet, il devient à l'âge adulte le roi de la basse-cour. Il porte d'ailleurs sur la tête une couronne rouge que l'on appelle crête.

Oiseau

Coquille Saint-Jacques

Ce grand coquillage repose sur le sable au fond de la mer. L'animal est abrité par deux coquilles, qu'il ouvre pour manger et ferme pour se protéger. C'est aussi grâce à elles qu'il se déplace. Il peut ainsi s'enfuir lorsqu'il aperçoit une étoile de mer, son principal ennemi.

Invertébré

Corail

Les coraux ressemblent à des bouquets de roche. Ils naissent dans les mers chaudes et peu profondes. Ils sont formés de très nombreux êtres minuscules, les polypes, qui grandissent de 1 cm par an. Ils se nourrissent de minuscules animaux qu'ils paralysent.

Invertébré

Corbeau

Le corbeau est un gros oiseau noir. Très adroit, il est à la fois curieux et agressif. Quand il chante, on entend : “ croa, croa ”. Il n’est pas difficile : il mange toutes sortes d’animaux et de plantes. La corneille appartient à la famille des corbeaux.

Oiseau

Coucou

Les mamans coucous ont de drôles de manières ! Elles déposent leurs œufs dans le nid d’autres oiseaux. Pour qu’ils ne remarquent rien, elles se débarrassent des œufs déjà présents. Les petits du coucou grandissent donc dans une autre famille !

Oiseau

Couleuvre

La couleuvre est le serpent le plus répandu en Europe. Heureusement, elle est inoffensive. Lorsqu'une couleuvre est menacée, elle essaie d'intimider son adversaire : elle s'aplatit, élargit sa tête, et souffle ou siffle très fort. Mais si ça ne marche pas, elle s'enfuit le plus vite possible !

Reptile

Coyote

Le coyote ressemble à un petit loup. On le rencontre en Amérique mais l'espèce, menacée, ne survit que dans les régions sauvages. Il se nourrit surtout de rongeurs, de lièvres et de charognes. Il vit en couple et les petits naissent au printemps.

Mammifère

Crabe

Le crabe est un crustacé. Il est abrité par une carapace qu'il change quand il devient trop gros. Sur les plages et dans les rochers, il s'enterre parfois dans le sable mouillé. Le crabe a quatre paires de pattes, et une grosse paire de pinces à l'avant. Il se déplace très vite, toujours sur le côté !

Invertébré

Crapaud

Le crapaud n'est pas beau : le corps lourd et couvert de verrues, des gros yeux globuleux… La nuit, dans les forêts ou les prairies, il a du mal à sauter, mais il nage bien. Les femelles pondent des milliers d'œufs : en été, les têtards deviennent des crapauds.

Amphibien

Crevette

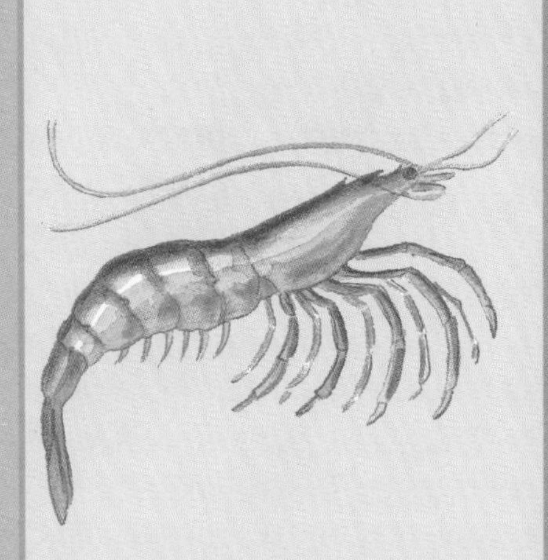

Les crevettes sont des crustacés. Leur corps fin et allongé est protégé par une fine carapace. Èlles ont deux paires d'antennes et dix pattes. Certaines vivent en eau douce (non salée), d'autres dans les mers. Celles-ci passent souvent la journée enfouies dans le sable.

Invertébré

Criquet

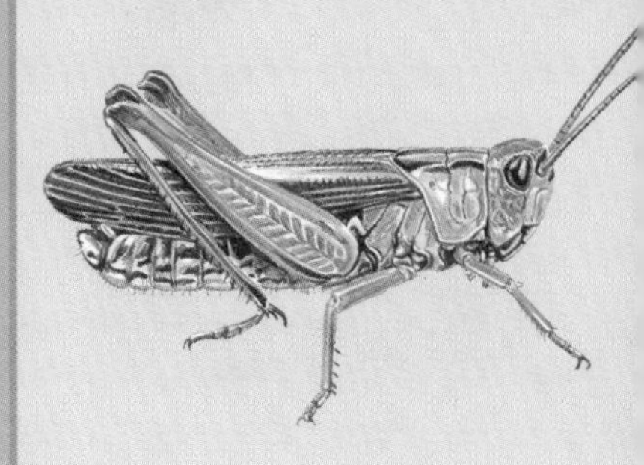

Le criquet est un insecte. Il a une paire d'ailes fines, et une paire d'ailes dures (élytres). Pour attirer une femelle, il chante en frottant ses pattes arrière sur ses élytres, tous deux dentelés. Seul le criquet migrateur (qui voyage) peut voler.

Invertébré

Crocodile

Ce reptile féroce peuple les fleuves, les lacs et les mers chaudes. Il s'attaque à tous les imprudents qui osent s'approcher... sauf les petits oiseaux, qui font sa toilette : ils picorent les insectes cachés dans les plis de sa peau et entrent dans sa gueule pour nettoyer ses gencives !

Reptile

Crotale

Le crotale est un serpent venimeux. Il vit aux États-Unis et au Mexique. On l'appelle aussi le "serpent à sonnette" car, pour effrayer ses ennemis, il produit un son avec le bout de sa queue.
Il s'enterre la journée sous le sable et chasse la nuit.

Reptile

Cygne

Le cygne est un grand oiseau au long cou, très élégant et généralement blanc. Ses grandes ailes le rendent maladroit à terre. Avant de s'envoler, il prend son élan en courant à la surface de l'eau. Il vole vite, mais c'est sur l'eau qu'il est le plus à l'aise.

Oiseau

Daim

Le daim vit en groupe, à l'abri dans des forêts. Sa couleur change avec les saisons. Il agite sans cesse sa queue pour chasser les mouches. Pour se battre, le mâle utilise les bois qu'il a sur la tête. La femelle s'appelle la daine, et le petit, le faon.

Mammifère

Dauphin

Cet élégant mammifère marin nage dans toutes les mers du monde. Acrobate, il fait des bonds spectaculaires hors de l'eau. Mais il peut aussi plonger très profond. Il sait produire de nombreux sons, selon ce qu'il veut dire. Il est considéré comme l'un des animaux les plus intelligents.

Mammifère

Dindon

Cet oiseau, capable de voler quelques heures seulement après sa naissance, préfère pourtant marcher. La dinde est l'un des rares oiseaux qui n'utilisent pas la chaleur de leur corps pour couver leurs œufs. En général, elle les enterre dans le sol, là où le soleil chauffe bien fort.

Oiseau

Dingo

Le dingo est un chien sauvage vivant uniquement en Australie. Il se nourrit de kangourous, de moutons et de lapins qu'il chasse seul, en couple ou en famille. Le mâle et la femelle s'occupent ensemble des petits qui restent avec eux pendant 1 à 3 ans après leur naissance.

Mammifère

Doryphore

Ce petit insecte a la forme d'une coccinelle. Il est jaune, avec des taches noires sur la tête et des rayures noires sur les ailes. L'été, il envahit les champs et se régale en mangeant des pommes de terre tandis qu'il passe l'hiver sous la terre.

Invertébré

Dromadaire

Le dromadaire est un chameau à une bosse. On le rencontre dans les déserts chauds et secs du Sahara et d'Arabie. Grand marcheur, il est capable de transporter de lourdes charges sur de longues distances.

Mammifère

Écrevisse

L'écrevisse est un crustacé qui ressemble à un petit homard. Elle vit dans l'eau douce des rivières, des étangs ou des marécages. Elle se nourrit des petits bouts de plantes et d'animaux qu'elle trouve dans l'eau.

Invertébré

Écureuil

L'écureuil, très agile, construit son nid dans les trous ou les branches des arbres. Il se régale de noisettes, de graines et de fruits. Il se met en boule, sa queue touffue (en panache) lui servant de couverture. Certains dorment ainsi tout l'hiver : ils hibernent.

Mammifère

Élan

L'élan, ou orignal, est le plus grand de la famille des cerfs. Il peut peser 800 kg. Sur sa tête poussent de grands bois palmés. Il vit dans les forêts froides. Bon nageur et grand trotteur, il peut traverser les fleuves et parcourir des centaines de kilomètres, grâce à ses larges sabots.

Mammifère

Éléphant

C'est le plus gros animal terrestre. L'éléphant d'Afrique est plus grand que celui d'Asie. Il pèse plus de 5 tonnes et mange plus de 225 kilos de plantes par jour ! Sa trompe lui sert à arracher les feuilles des arbres et à les porter à sa bouche… mais aussi à prendre sa douche !

Mammifère

Éléphant de mer

Parfois aussi gros que l'éléphant, l'éléphant de mer vit dans les océans. Le mâle a une petite trompe. Il se nourrit de calmars, de poissons et de petits requins. Il passe une grande partie de la journée sur la plage.

Mammifère

Émeu

L'émeu est un grand oiseau. Ses ailes, toutes petites, ne lui permettent pas de voler, mais il peut courir à 50 km/h. Il vit en Australie uniquement, dans les plaines et les forêts. Curieusement, c'est le mâle qui fait tout : il construit le nid, couve les œufs et élève les petits !

Oiseau

Éponge de mer

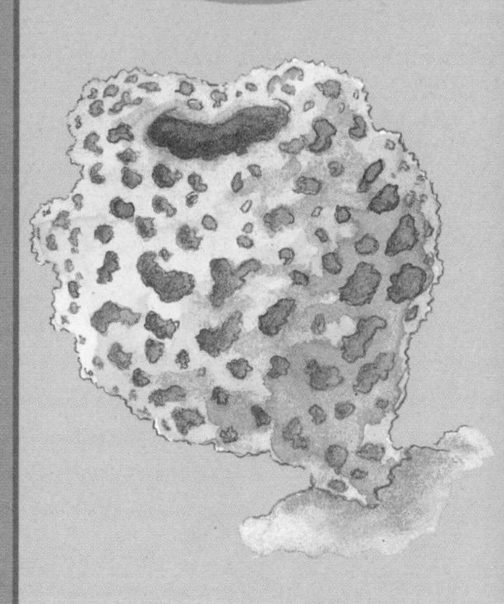

Comme son nom l'indique, l'éponge vit dans la mer. Elle n'a ni tête, ni bouche ! Une fois adulte, l'éponge se fixe sur les fonds rocheux et reste presque immobile : on dirait une plante ! On utilise le squelette de certaines d'entre elles pour faire des éponges de toilette.

Invertébré

Escargot

Ce mollusque dévore
les feuilles des plantes. Son
corps, tout mou, est abrité
par une solide coquille.
Pour se protéger du froid
ou de la chaleur, l'escargot
fabrique une petite porte
pour fermer sa coquille.
Il la rouvre pour profiter de
la pluie ou de la rosée du
matin.

Invertébré

Espadon

L'espadon est l'un des
poissons les plus rapides :
il peut nager à 100 km/h !
Sa mâchoire supérieure est
prolongée par une longue
pique pointue et coupante
comme une épée. C'est une
arme redoutable pour les
poissons qu'il attaque !

Poisson

Étoile de mer

De jolies étoiles de mer tapissent le fond des océans. Elles sont souvent orange, parfois bleues, toujours colorées. Leur corps a la forme d'une étoile à cinq branches. Au milieu se cache leur bouche. Ce sont de véritables gloutonnes !

Invertébré

Faisan

Le faisan a des pattes musclées et il préfère marcher. Il ne s'envole que s'il est vraiment en danger. Ses poussins quittent le nid très tôt. Ils suivent leur mère partout, mais se nourrissent tout seuls. Dès l'âge d'une semaine, la plupart d'entre eux savent voler.

Oiseau

Faucon

Le faucon est l'un des oiseaux les plus rapides. Ce rapace peut voler à plus de 300 km/h en plongeant vers le sol ! Excellent chasseur, il se nourrit surtout d'autres oiseaux, petits ou grands, qu'il attrape en plein vol.

Oiseau

Fennec

Le fennec est le plus petit des renards mais c'est lui qui a les plus grandes oreilles. Il vit dans les déserts du Sahara et d'Arabie. La journée, il reste au frais dans son terrier, creusé dans le sable. Le soir, il fouille le sol, cherchant des reptiles et des insectes à se mettre sous la dent.

Mammifère

Flamant rose

Haut perché sur ses fines pattes (échasses), le flamant rose vit près des lacs salés peu profonds, non loin de la mer. Il utilise son gros bec comme un filet. Il se penche pour aspirer l'eau et la vase. Puis il les rejette en triant ce qu'il peut avaler, gardant les algues et les vers.

Oiseau

Fouine

La fouine vit la nuit, près des bois ou des maisons. Très agile, elle grimpe, nage et court à toute allure. Elle est surtout active la nuit, où elle chasse des petits rongeurs et des oiseaux. C'est un animal très utile pour détruire les rats et les souris.

Mammifère

Fourmi

Les fourmis sont des insectes qui vivent en colonie, chacune à son poste. Seule la reine pond des œufs. A son service, elle a des milliers de fourmis appelées ouvrières. Les ouvrières font les courses, le ménage et s'occupent des bébés.

Invertébré

Fourmilier

Le fourmilier est couvert de longs poils raides. Il se nourrit principalement de fourmis et de termites. Il peut en avaler jusqu'à 30 000 par jour ! Il ouvre les nids avec ses griffes et y enfonce son museau pointu. Les insectes se collent sur sa longue langue.

Mammifère

Frelon

Le frelon est une énorme guêpe de couleur brun et jaune alors que les autres sont noir et jaune. Il se nourrit d'autres insectes. Il installe son nid dans le trou d'un arbre, ou dans un grenier. Le frelon pique s'il se sent en danger et sa piqûre est très douloureuse !

Invertébré

Furet

Le furet est un putois albinos, c'est-à-dire que sa fourrure est très claire et qu'il a les yeux rouges. Il en existe cependant des plus foncés. Chasseur solitaire et nocturne, il attrape des lapins et des lièvres, mais aussi des petits rongeurs, des grenouilles et des vers.

Mammifère

Gazelle

La gazelle est une petite antilope très rapide. Comme sa cousine, elle vit dans la savane, en Afrique ou en Asie. Elle broute l'herbe et les feuilles qui se trouvent à sa hauteur et peut rester longtemps sans boire. Elle s'enfuit à toutes jambes lorsqu'un félin s'approche.

Mammifère

Geai

Le geai est un oiseau de la famille des corbeaux. A la belle saison, il fait ses provisions de nourriture pour l'hiver. Il les enterre dans des cachettes, qu'il est capable de retrouver même après plusieurs mois. Il a une sacrée mémoire !

Oiseau

Genette

La genette aime vivre en solitaire. Elle est prudente et se cache dans les bois ou les broussailles. Dès qu'elle se sent menacée, elle grimpe aux arbres ou s'abrite dans un terrier abandonné. Elle est carnivore : elle mange des animaux (rongeurs, oiseaux, insectes…).

Mammifère

Gibbon

Le gibbon vit dans les forêts chaudes et humides d'Asie. Il se nourrit de fruits mûrs, de feuilles et parfois de petits animaux. Il dort la nuit assis sur une branche, blotti contre les autres gibbons de la famille. Grâce à ses bras, plus longs que ses jambes, il est très agile dans les arbres.

Mammifère

Girafe

La girafe est le plus grand des animaux. Sa hauteur, qui peut atteindre plus de 5 mètres, lui permet de brouter les feuilles des arbres les plus hauts, et de voir plus loin que tous les autres animaux. Pour boire, elle est obligée d'écarter les jambes. Elle habite la savane africaine.

Mammifère

Gnou

Le gnou est une antilope africaine, avec une barbe et une crinière. Il bondit dans tous les sens et chasse les mouches en balançant sa longue queue poilue...
Les troupeaux peuvent parcourir des centaines de kilomètres pour trouver de l'herbe fraîche.

Mammifère

Goéland

Le goéland est un oiseau marin. Il peut voler à haute altitude, mais il s'éloigne rarement des côtes. Il rase la surface de l'eau et tue les poissons avec son bec. Pour manger les mollusques, il les jette à terre pour que leur coquille se casse.

Oiseau

Gorille

Le gorille habite dans la jungle africaine. C'est le plus grand et le plus fort de tous les singes. Il est capable d'arracher de petits arbres. Quand on le dérange, il se dresse sur ses jambes et se frappe la poitrine en hurlant. Il peut faire peur, mais il n'est pas méchant.

Mammifère

Grenouille

Grâce à ses puissantes pattes palmées, la grenouille, bien plus agile que le crapaud, saute et fait des bonds aussi bien sur terre que dans l'eau. En hiver, elle hiberne sous l'eau. Au printemps, les mâles appellent les femelles de leurs chants : ils coassent.

Amphibien

Grillon

Le grillon est un insecte. Il vit dehors en été mais, l'hiver, il lui arrive de s'abriter dans les maisons bien chauffées. Il vit surtout la nuit et reste caché pendant la journée. Le mâle se sert de ses ailes pour émettre des sons. On dit alors qu'il stridule.

Invertébré

Guépard

Champion du monde de vitesse, le guépard fait régner la terreur dans la savane. Il peut atteindre les 110 km/h ! Contrairement aux autres félins, il ne guette pas sa proie avant de bondir dessus mais la poursuit. Si celle-ci court plus longtemps que lui, le guépard abandonne la partie.

Mammifère

Guêpe

La guêpe est une vraie guerrière ! Pour combattre, mais seulement si elle est attaquée, elle utilise son épée (dard) pour piquer la peau de ses ennemis avec un poison douloureux. Contrairement à l'abeille, la guêpe peut piquer plusieurs fois.

Invertébré

Hamster

Le hamster est un rongeur. Il place les graines dans ses abajoues (poches cachées dans ses joues). Dans son terrier, il les vide et passe à table. A l'automne, il stocke 15 ou 20 kilos de provision. Puis il hiberne, se levant régulièrement pour manger.

Mammifère

Hanneton

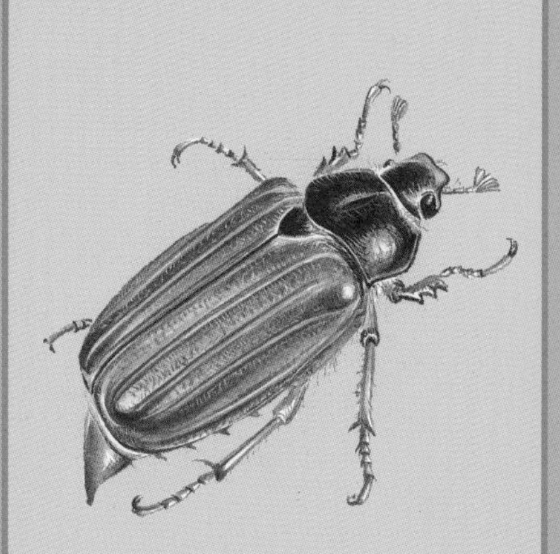

Cet insecte est très répandu en Europe et en Asie, surtout dans les régions chaudes, dans les bois ou les jardins. Il passe ses journées sur les arbres et, le soir, il vole. Le hanneton pond ses œufs dans la terre. Il en sort des larves (vers blancs), qui rongent les racines.

Invertébré

Hérisson

Le hérisson est couvert d'épines. Ce sont des poils longs, très durs et pointus, qui se dressent sur le dos de l'animal lorsqu'il se défend. Ces piquants tombent et repoussent régulièrement. Lorsqu'il est menacé, le hérisson se roule en boule pour se protéger.

Mammifère

Hermine

La fourrure de l'hermine devient blanche en hiver (sauf le bout de la queue). Cet animal court en faisant de grands bonds. Il peut attaquer un animal plus grand que lui en le mordant au cou. Pour inspecter les alentours, l'hermine se dresse sur ses pattes arrière.

Mammifère

Héron

Ce grand oiseau vit en colonie. Il s'amuse souvent à rester perché sur une patte. Il construit son nid bien haut dans les arbres, au bord des rivières ou des lacs. Il se nourrit de poissons, de grenouilles et d'anguilles. Il les attrape dans l'eau, grâce à son bec très puissant.

Oiseau

Hibou

Le hibou est un oiseau nocturne. Il chasse la nuit et dort le jour. Grâce à sa bonne vue, il voit en pleine nuit. Lorsqu'il fait vraiment trop noir, le hibou se guide aux sons. Il se nourrit de hérissons, de rats, de lapins, de corneilles et même de renards.

Oiseau

Hippocampe

L'hippocampe est un drôle de poisson des mers chaudes et peu profondes. Il nage à la verticale, grâce à ses petites nageoires. Pour éviter d'être entraîné par le courant, il enroule sa longue queue autour des algues. Pour se cacher, il imite la couleur des plantes dans lesquelles il vit.

Poisson

Hippopotame

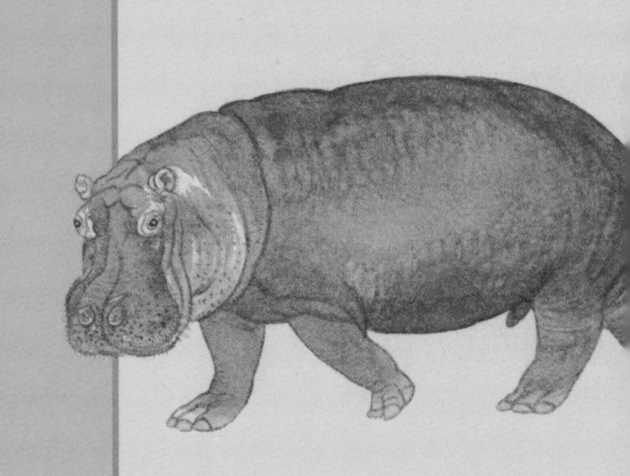

Ce gros animal ne vit plus qu'en Afrique. Il pèse 1 000 à 3 000 kilos ! Il naît dans l'eau, où il passe la plus grande partie de son existence. En général, seuls ses oreilles, ses yeux et ses narines apparaissent à la surface. Mais il peut aussi marcher au fond de l'eau.

Mammifère

Hirondelle

L'hirondelle passe une grande partie de son temps à voler. Elle construit souvent son nid, fait de boue et de paille ou de crin de cheval, près des fermes. L'hirondelle est un oiseau migrateur qui vit l'hiver dans les pays chauds.

Oiseau

Homard

Le homard est un gros crustacé. Il est abrité par une solide carapace qu'il change de temps en temps. Il se déplace à l'aide de ses 8 pattes, et attrape ses proies avec sa grosse paire de pinces. Le jour, il se cache dans les trous des rochers. Il en sort la nuit pour chasser.

Invertébré

Huître

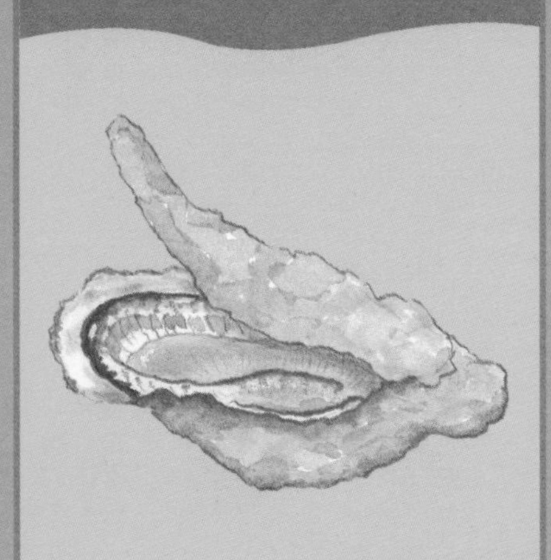

L'huître est un mollusque à deux coques. Comme tous les coquillages, le corps mou de l'huître naît dans une coquille bien dure qui la protège. Les huîtres sont élevées dans la mer pour être mangées. Certaines sont élevées parce qu'elles fabriquent de belles perles.

Invertébré

Hyène

La hyène vit en Afrique et en Asie. Elle chasse en bande, surtout le soir, mais elle préfère les charognes (restes d'animaux déjà morts). Très bruyante, la hyène utilise une grande variété de cris et de grognements dont certains ressemblent à d'affreux ricanements.

Mammifère

Ibis

Cet échassier (oiseau aux longues pattes) vit près des grandes étendues d'eau peu profondes. Son bec lui permet de fouiller la vase, pour trouver des insectes, des poissons, et des tas d'autres bêtes à avaler. L'ibis est un grand voyageur.
Il se déplace régulièrement, en fonction de la météo.

Oiseau

Iguane

L'iguane est un grand lézard qui vit dans les jungles d'Amérique. Il porte une longue crête sur le dos et sa queue est plus longue que son corps. Il se nourrit de fruits, de fleurs, de feuilles. Certains iguanes plongent dans l'eau pour brouter des algues.

Reptile

Kangourou

Le kangourou est australien. La femelle a une poche sur le ventre. A peine né, le petit grimpe dans la poche de sa maman. C'est là qu'il tète son lait. Champion d'athlétisme, le kangourou peut courir à 50 km/h, en faisant des bonds de 8 mètres !

Mammifère

Kiwi

Le kiwi vit uniquement en Nouvelle-Zélande, dans les forêts de pins. Il n'a ni queue, ni ailes. Il ne peut donc pas voler. Il attrape des vers grâce à son long bec pointu. Il est gros comme une poule, et pond un seul œuf par an. Mais quel œuf ! Enorme !

Oiseau

Koala

Le koala vit en Australie, dans les arbres d'eucalyptus (sa principale nourriture) d'où il descend rarement. A sa naissance, le bébé a la taille d'un haricot. Il passe les premiers mois de sa vie dans la poche de sa mère, à téter son lait.

Mammifère

Lama

De la famille du chameau, le lama, animal domestique, vit en Amérique du Sud. Il peut lui aussi vivre sans manger ni boire pendant des jours. Lorsqu'il se sent menacé, le lama crache sur ses ennemis pour les faire fuir. Le reste du temps, il broute les plantes qu'il trouve.

Mammifère

Langouste

La langouste ressemble à un homard sans pinces. Ce crustacé vit dans les mers chaudes, sur les fonds rocheux ou dans les algues. Elle se déplace à l'aide de ses 10 pattes. Pour se cacher, elle se faufile dans les trous des rochers ou s'enfouit dans le sable.

Invertébré

Lapin

Le lapin vit en colonie dans un terrier. Il s'en éloigne rarement, si bien que toute l'herbe autour est vite broutée. Ainsi, il voit mieux ses ennemis approcher. Il fait sa toilette plusieurs fois par jour, avec sa langue, ses dents et ses griffes. La lapine donne naissance à des lapereaux.

Mammifère

Lémurien

Les lémuriens vivent uniquement à Madagascar. Ce sont de drôles de petits animaux avec des gros yeux tout ronds ! Ils sautent d'arbre en arbre grâce à leurs pattes arrière musclées, et s'agrippent aux branches avec leurs longs doigts fins. La plupart vivent la nuit.

Mammifère

Lézard

Le lézard est un reptile. Il vit dans les pays chauds, où il prend des bains de soleil. Quand il est attaqué, le petit lézard abandonne sa queue qui continue à remuer. Il profite ainsi de l'étonnement de son ennemi pour s'enfuir au plus vite !

Reptile

Libellule

La libellule est un insecte très gracieux. Tu peux la voir voler au-dessus des étangs ou des lacs. C'est là qu'elle pond ses œufs. Déposés sur une plante, ou lâchés en plein vol, les œufs tombent au fond de l'eau, où les larves se développeront pendant 2 ou 3 ans.

Invertébré

Lièvre

Cousin du lapin, le lièvre est plus gros et ses oreilles sont plus longues. Blotti par terre, il baisse rarement la tête, même pour manger. Il évite ainsi de se laisser surprendre par ses ennemis. Grâce à ses puissantes pattes arrière, il s'enfuit très vite en zigzag en cas de danger.

Mammifère

Limace

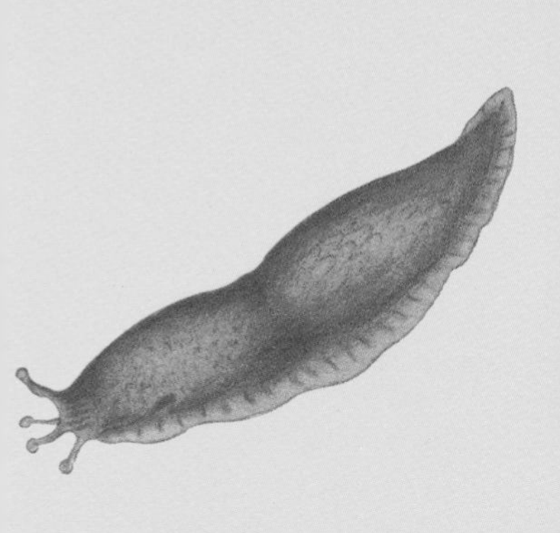

La limace est une sorte d'escargot… sans coquille. Pour vivre, elle a besoin d'eau, car son corps mou doit toujours rester bien humide. Lorsqu'il fait trop sec, elle s'enfouit dans la terre. Mais dès qu'il pleut, toutes les limaces sortent se promener.

Invertébré

Lion

Roi des animaux, ce félin passe pourtant la plus grande partie de son temps à dormir. La lionne s'occupe des lionceaux et de la chasse. Le lion se réveille pour manger. Quand il est rassasié, la lionne et les lionceaux finissent les restes. Seul le mâle porte une crinière.

Mammifère

Loir

Le loir est un rongeur qui passe son temps dans les arbres à grignoter fruits, graines et insectes. A la fin de l'été, il mange comme un goinfre pour s'enrober de graisse. Après des mois d'hibernation, il aura perdu la moitié de son poids !

Mammifère

Loup

Le loup vit en bande (meute). Le chef est le mâle le plus grand et le plus fort. Puis viennent ses frères, les louves et les louveteaux. Ils se répartissent le travail pour chasser et défendre leur territoire. Lorsqu'ils tuent une proie, le chef passe à table le premier.

Mammifère

Loutre

La loutre est une excellente nageuse. Grâce à ses pattes palmées, elle est très à l'aise dans les lacs, rivières ou torrents de montagne.
Ses grosses moustaches lui servent de radar : elle trouve ainsi poissons, grenouilles et anguilles, au fond d'une rivière boueuse comme dans l'obscurité.

Mammifère

Lucane

Proche du scarabée, cet insecte est protégé par une grosse carapace noire ou brune. Il habite dans les forêts d'Europe, avec un goût particulier pour les vieux arbres. Pour se nourrir, il lèche la sève des troncs. Le soir, il fait un petit tour pour se dégourdir les ailes.

Invertébré

Lynx

Le lynx est un félin à la vue perçante. Il sait aussi bien grimper aux arbres que traverser les rivières à la nage. La nuit, il est capable de parcourir des kilomètres, en silence, pour attraper lièvres, souris, canards, renards ou cerfs.

Mammifère

Manchot

Le manchot est un oiseau marin de l'Antarctique (pôle Sud). Trop petites pour voler, ses ailes lui servent de nageoires. La femelle pond un seul œuf, qu'elle couve à tour de rôle avec son mari. Posé sur leurs pattes, l'œuf reste bien au chaud, sans jamais toucher le sol glacé.

Oiseau

Mangouste

La mangouste vit en Afrique et en Asie. Elle habite dans les buissons proches des marécages et dans les champs. Elle est rapide comme l'éclair et agile. Elle chasse de jour rats, souris, lézards et n'hésite pas à s'attaquer aux serpents même plus gros qu'elle.

Mammifère

Mante

La mante religieuse a un énorme appétit ! Bien cachée par les feuilles dont elle a la couleur, elle attend qu'un imprudent s'approche. Pour l'attraper, elle lance ses pattes avant couvertes d'épines crochues. Sa proie a peu de chance de lui échapper.

Invertébré

Maquereau

Ce poisson vit dans toutes les mers du monde. Sa tête pointue se termine par une grande bouche munie de dents. Rapides nageurs, les maquereaux se déplacent en bancs (grands groupes de poissons). Ils font chaque année de longs voyages pour chercher leur nourriture.

Poisson

Marmotte

Ce joli rongeur vit dans les montagnes. Au printemps, après six mois d'hibernation dans le terrier, les marmottes jouent à se bagarrer. Elles s'amusent aussi à dévaler les pentes comme des folles. En cas de danger, les guetteurs sifflent fort et toutes se précipitent dans leur trou !

Mammifère

Martin-pêcheur

Si tu vois un oiseau bleu filer comme une flèche en poussant un cri aigu et plonger dans une rivière ou un lac, c'est un martin-pêcheur. Il attrape les poissons de son bec en forme de poignard. Il les avale en vol ou les déguste tranquillement, perché sur une branche.

Oiseau

Méduse

Cet animal semble flotter dans la mer au gré du courant. On dirait un sac en plastique gonflé d'eau. Les grosses méduses transparentes ne sont en général pas dangereuses. Mais les petites espèces colorées piquent ou brûlent la peau quand on les touche.

Invertébré

Merle

Ce bel oiseau noir se promène un peu partout : dans les forêts et dans les prés, dans les jardins et dans les champs, et même en ville. Le merle est un grand peureux. Il sautille dans tous les sens et, dès qu'on s'approche de lui, il s'enfuit.

Oiseau

Mésange

Tu peux observer ce petit oiseau très répandu dans les forêts et les jardins. L'hiver, il cherche des insectes et des larves à picorer. Au printemps, le mâle visite les nids construits par les femelles : il fait le beau pour séduire l'une d'elles et lui faire des petits.

Oiseau

Mille-pattes

Il existe environ 17 000 sortes de mille-pattes ! Mais aucun d'eux ne possède réellement 1 000 pattes… seulement quelques dizaines ou centaines. Le mille-pattes aime les endroits sombres et humides, comme les tas de pierres ou de terre, les écorces d'arbre, les cavernes…

Invertébré

Moineau

Voilà un petit oiseau qui n'a pas peur des hommes ! En ville comme à la campagne, il construit son nid près des habitations. Et parfois même à l'intérieur. L'été, les bandes de moineaux picorent les champs de céréales.

Oiseau

Morse

Ce gros moustachu peuple les mers froides. Ses défenses, pouvant atteindre 1 mètre de long, lui servent de béquilles pour sortir de l'eau ; de pioche pour creuser un abri sous la glace ou dégager les coquillages du sable ; d'arme pour repousser ses ennemis, comme l'ours polaire.

Mammifère

Mouche

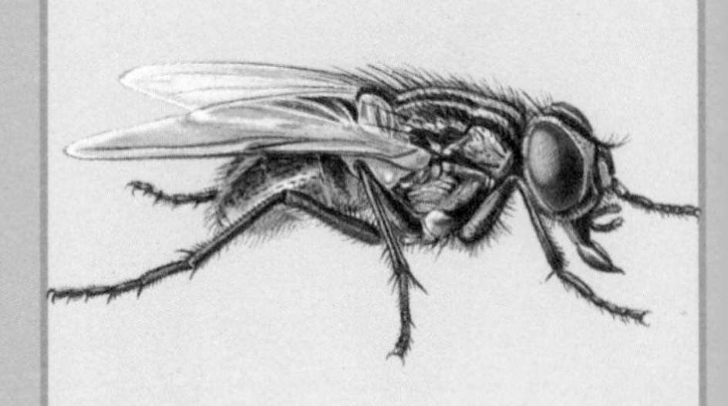

La mouche est l'un des insectes les plus répandus dans le monde. Il faut dire qu'elle se reproduit très rapidement. Curieusement, ses endroits préférés sont les plus sales : poubelles, crottes… Contrairement à la plupart des autres insectes, la mouche n'a que deux ailes.

Invertébré

Mouette

La mouette est un élégant oiseau marin. En vol, elle bat des ailes le moins possible. Elle préfère planer, utilisant les courants d'air ou les rafales de vent pour s'élever. Lorsqu'elle se pose sur l'eau, elle se laisse flotter, le temps de se reposer et de pêcher quelques poissons.

Oiseau

Mouflon

Cet animal de montagne est un cousin sauvage du mouton. Le mâle porte d'épaisses cornes enroulées sur elles-mêmes. Il broute l'herbe et grignote l'écorce de certains arbres. Mâles et femelles vivent en troupeaux séparés. Ils se retrouvent à la saison des amours.

Mammifère

Moule

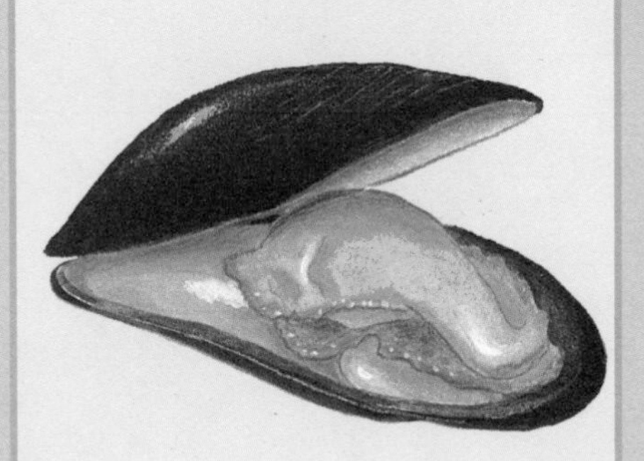

La moule est un mollusque. Son corps mou est abrité par une coquille noire qui s'ouvre et se ferme. De jaune pâle, la chair devient orange à l'âge adulte. Le long des côtes, les moules s'accrochent aux galets, aux algues et aux rochers, grâce à un liquide qu'elles fabriquent.

Invertébré

Moustique

Quand le moustique pique, ça démange ! En fait, seule la femelle pique la peau des hommes et des animaux, pour se nourrir de leur sang. Comme de nombreux autres insectes, le mâle, lui, préfère boire le nectar des fleurs.

Invertébré

Mouton

On rencontre des troupeaux de moutons dans les prairies de nombreuses régions.
Le mâle s'appelle le bélier ; la femelle, la brebis ; le petit, l'agneau. On élève le mouton pour manger sa viande, boire le lait de la femelle (ou en faire du fromage), et pour obtenir de la laine avec son épaisse fourrure.

Mammifère

Mulot

Ce petit rongeur diffère de la souris par ses gros yeux ronds et ses grandes oreilles. Il court et bondit avec agilité mais les chats et les rapaces n'en font qu'une bouchée ! Il transforme d'anciens nids en garde-manger. Il fait sa toilette assis en se léchant le ventre et les pattes.

Mammifère

Musaraigne

Cet animal ne sent vraiment pas bon ! Active jour et nuit, la musaraigne passe son temps à fouiller le sol à la recherche d'insectes à dévorer. Elle gigote tellement que, pour rester en forme, elle avale chaque jour l'équivalent de son propre poids !

Mammifère

Oie

L'oie est un grand oiseau aux pattes palmées. Elle est particulièrement belle quand elle vole. On la voit souvent nager dans les marécages. Les couples sont formés pour la vie : le mâle s'appelle le jars, et les petits, les oisons.

Oiseau

Okapi

L'okapi est un parent de la girafe. Il habite au Congo (ex-Zaïre), dans les forêts qui bordent les fleuves. Il attrape les feuilles des arbres avec sa grosse langue râpeuse. Ses cornes, toutes petites, sont recouvertes d'une peau qui se renouvelle chaque année.

Mammifère

Opossum

Ce petit marsupial américain a le museau pointu et une longue queue couverte d'écailles qui lui rend bien des services. Il s'en sert pour grimper aux arbres et attraper sa nourriture. Les petits s'y agrippent aussi pour monter sur le dos de leur mère.

Mammifère

Orang-outan

L'orang-outan, l'un des plus grands singes, vit en solitaire dans certaines forêts d'Asie (Indonésie). Capable de marcher sur deux pattes, cela ne l'empêche pas de grimper aux arbres, et même d'y dormir. Menacés de disparition, les orangs-outans sont protégés.

Mammifère

Ornithorynque

Cet animal habite l'Australie, la Nouvelle-Zélande et la Nouvelle-Guinée. Il est amphibien : il vit aussi bien dans l'eau que sur terre. Il nage dans les ruisseaux et les étangs où, avec son grand bec de canard, il attrape des écrevisses, des insectes, des vers et des coquillages.

Mammifère

Orque

L'orque peut mesurer jusqu'à 9,50 m et peser 8 tonnes. Il vit surtout dans les mers glaciales, près de la banquise. Il nage très vite et peut plonger à plus de 1 000 mètres de profondeur. Rien ne lui fait peur : il s'attaque à tous les animaux de la mer, même aux baleines !

Mammifère

Oryx

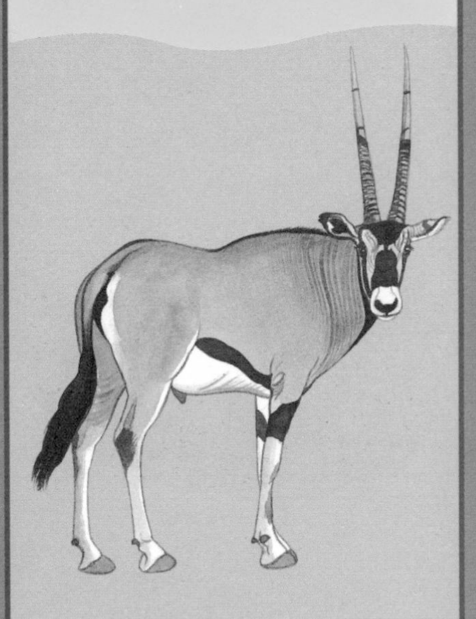

Cette élégante antilope vit en Afrique et en Arabie. Sa robe est claire et ses cornes, longues et fines, sont à peine recourbées. Les mâles se battent régulièrement entre eux lorsqu'ils s'intéressent à la même femelle.

Mammifère

Otarie

L'otarie vit dans les mers froides. Une épaisse couche de graisse et une belle fourrure la réchauffent. Quand l'hiver est trop rude, elle nage vers des eaux plus chaudes. Chaque été, les mâles et les femelles se réunissent sur la terre ferme pour faire des petits.

Mammifère

Ouistiti

Le ouistiti est le plus petit des singes. Il ne pèse pas plus de 100 ou 200 grammes. Dans les forêts tropicales d'Amérique du Sud, il se déplace d'arbre en arbre. Pour s'agripper aux branches, il s'aide de ses fortes griffes et de sa queue, aussi longue que son corps.

Mammifère

Ours

Solitaires, les ours (bruns) vivent surtout dans les montagnes, dans des cavernes. Ils sont souvent dangereux car ils possèdent une force redoutable. Ils mangent des plantes, des animaux et raffolent du miel. L'ours blanc (polaire) vit sur la banquise du pôle Nord.

Mammifère

Oursin

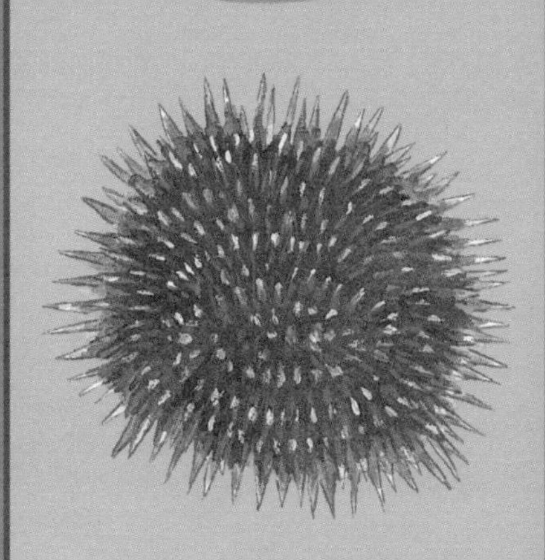

Les oursins peuplent les mers chaudes, souvent près de la côte. Pour éviter d'être emporté par le courant, l'oursin se colle sur les rochers. Il ne craint pas grand-chose avec sa cuirasse couverte d'épines piquantes, qu'il perd seulement quand il meurt. Il se nourrit d'algues.

Invertébré

Panda

Le panda est l'un des animaux les plus rares et les plus secrets. Ce gros nounours noir et blanc habite en Chine, dans la fraîcheur des forêts de bambous. Il passe ses journées seul, à manger des kilos de feuilles et de pousses de bambou.
Le reste du temps, il dort.

Mammifère

Pangolin

Proche du fourmilier, le pangolin vit en Afrique et en Asie. Son corps est couvert de grosses écailles. Quand un animal l'attaque, il se roule en boule, protégé par son armure. Il se nourrit de termites et de fourmis, qu'il retire des nids avec sa longue langue collante.

Mammifère

Panthère

La panthère est un félin. On l'appelle ainsi en Asie, jaguar en Amérique et léopard en Afrique. Excellente chasseresse, elle repère sa proie de très loin dans la nuit. Elle s'en approche sans bruit, lui saute dessus et la dévore.

Mammifère

Paon

Le plumage du paon est une véritable œuvre d'art. Il porte une petite couronne sur la tête. Sa longue queue, faite de plumes très colorées, peut se dresser et s'ouvrir comme un éventail. On dit alors qu'il fait la roue. C'est ainsi qu'il attire les femelles.

Oiseau

Papillon

Les œufs pondus par une maman papillon donnent naissance à des chenilles. Plus tard, chaque chenille s'enveloppe dans un cocon. À l'intérieur de cette poche, elle se transforme lentement. Lorsque le cocon s'ouvre enfin, c'est un joli papillon aux ailes colorées qui s'envole.

Invertébré

Paresseux

Ce petit mammifère d'Amérique du Sud porte bien son nom ! Il se nourrit de plantes, qu'il digère… très lentement. Il vit dans les arbres, où il s'agrippe de ses puissantes griffes, et se déplace… très lentement.

Mammifère

Pélican

Le pélican est un grand oiseau qu'on rencontre dans les pays chauds, près des lacs ou de l'océan. Il porte à la gorge une grande poche qui lui sert de sac à provisions. Il y range les poissons qu'il a attrapés. Les bébés pélicans n'ont plus qu'à se servir !

Oiseau

Perce-oreille

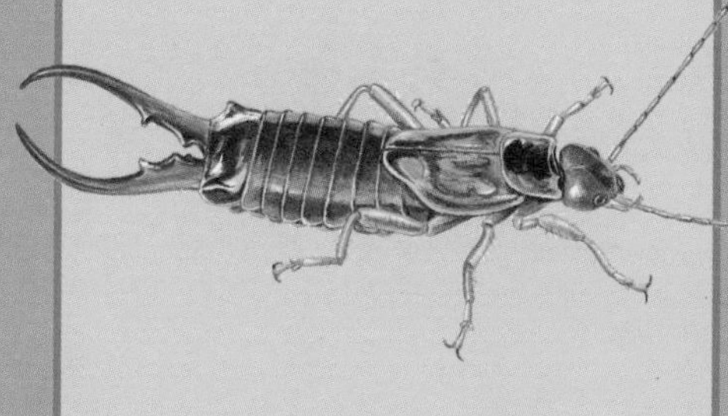

Cet insecte doit son nom aux deux petites pointes en forme de pince situées à l'arrière de son corps. Ses courtes ailes lui permettent de voler, mais il préfère se promener « à pattes ». La maman s'occupe des œufs et des petits, ce qui est rare chez les insectes.

Invertébré

Perche

La perche est un joli poisson de fleuve et de rivière. Lorsque les œufs éclosent, il en sort de minuscules alevins. Ceux qui ne se font pas dévorer par d'autres poissons ou par des oiseaux pêcheurs deviendront… de grandes perches.

Poisson

Perdrix

La perdrix est un oiseau de la famille du faisan. Elle vit souvent en groupes importants. Elle installe son nid par terre, dans un simple creux gratté dans le sol, à l'abri des buissons, ou dans les rochers. Elle picore des graines, et parfois des fruits, des insectes et des araignées.

Oiseau

Perroquet

Ce bel oiseau aux couleurs vives est facile à repérer : il a un gros bec crochu et… il répète tout ce qu'il entend. Enfin… presque ! La plupart des perroquets habitent les forêts chaudes et humides où ils se déplacent en groupes. Ils mangent des graines et des fruits.

Oiseau

Phacochère

Ce cochon sauvage a une drôle d'allure, avec sa grosse tête armée de défenses ! Le phacochère habite les forêts humides ou la savane africaines, où il aime se déplacer en petits groupes. Il court vite et nage bien. Pour se protéger du soleil, il se roule dans la boue.

Mammifère

Phoque

Le phoque peuple les mers froides. Sa graisse et sa fourrure lui tiennent bien chaud. Il nage très bien mais il sait aussi ramper sur terre pour se réchauffer entre deux plongées. L'hiver, il échange ses poils bruns de l'été pour une fourrure blanche.

Mammifère

Pie

Cet oiseau se promène aussi bien dans les forêts que dans les parcs des villes. La pie aime la compagnie des hommes, mais elle s'enfuit si on l'approche de trop près. Elle a la réputation d'être une grande bavarde, car elle chante à tue-tête !

Oiseau

Pieuvre

La pieuvre, ou poulpe, est un gros mollusque qui porte huit longs bras (tentacules) munis de ventouses. C'est bien pratique pour attraper des crustacés ! Lorsqu'elle est poursuivie par un ennemi, elle jette un nuage d'encre noire pour brouiller l'eau.

Invertébré

Pigeon

Dans les bois comme en ville, le pigeon est un oiseau parfois craintif. Il vole plus ou moins haut, selon la météo et la direction du vent. Quand il cherche à séduire une pigeonne, il gonfle ses plumes et roucoule sans arrêt : "rlou-rlourlou-rlourlou…"

Oiseau

Pingouin

Le pingouin est un oiseau des mers arctiques (pôle Nord). Ses ailes, toutes petites, lui servent avant tout de nageoires. Il passe presque tout son temps dans l'eau et ne revient sur la côte que pour se reproduire. Son bébé plonge dans la mer avant même de savoir voler.

Oiseau

Pinson

Ce petit oiseau est un grand chanteur. A la saison des amours, le mâle chante du matin au soir pour attirer sa belle. Il installe son nid dans les herbes ou les buissons, souvent près d'une rivière. Il fouille le sol à l'aide de ses pattes et picore graines, insectes et vers.

Oiseau

Piranha

Avec ses dents coupantes comme un rasoir, ce poisson est féroce.
Les piranhas vivent dans les fleuves américains.
Lorsqu'ils se déplacent par centaines, ils n'hésitent pas à s'attaquer aux bœufs ou aux chevaux… qu'ils dévorent en moins d'une minute !

Poisson

Pivert

Le bec du pivert est un vrai marteau-piqueur !
Il donne des grands coups très rapides pour creuser l'écorce des arbres. Puis il en sort des larves et des insectes avec sa langue collante. Il avale ainsi près de 2 000 bestioles par jour !

Oiseau

Poisson-chat

Ce poisson d'eau douce et de mer est enveloppé d'une peau lisse, souvent sans écailles. La longue barbichette sous son menton lui sert de radar pour trouver sa nourriture dans l'eau trouble.
Il a souvent des épines venimeuses pour se défendre.

Poisson

Poisson-clown

Cet adorable petit poisson peuple les mers chaudes.
Il vit avec les anémones de mer, dans lesquelles il se réfugie en cas de danger, ou pour passer la nuit.
C'est un petit curieux.
Si tu lui offres un peu de pain, il s'approchera et viendra jouer avec toi.

Poisson

Poney

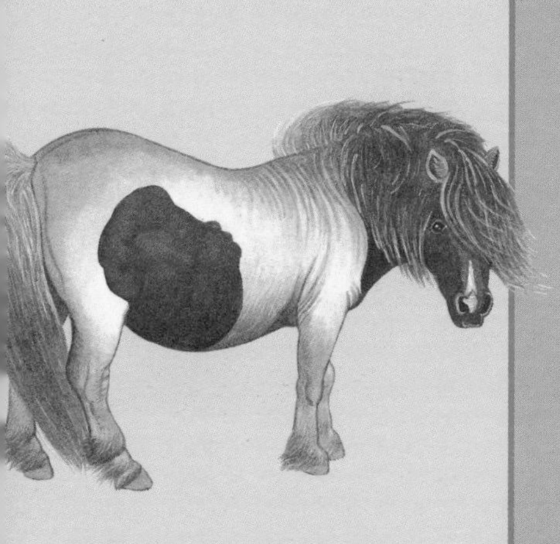

Le poney est un petit cheval. De nombreuses races de cet animal sont originaires de Grande-Bretagne. C'est le cas du Shetland, le plus petit des poneys, qui fait à peine plus de 1 mètre de haut. Il passe son temps à brouter l'herbe et à trottiner ou galoper pour se dégourdir les pattes.

Mammifère

Porc-épic

Le porc-épic est l'un des plus gros rongeurs. Son corps est protégé par une véritable armure de longues épines très pointues !
Si un animal l'attaque, le porc-épic lui tourne le dos et le frappe de sa queue.
Ses piquants se détachent pour se planter dans la peau de l'imprudent.

Mammifère

Pou

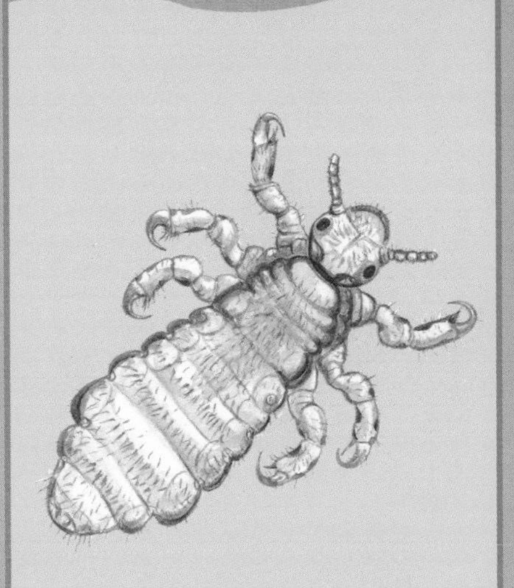

Le pou a la mauvaise habitude de venir dans nos cheveux pour nous gratter la tête ! Il s'y agrippe avec ses minuscules griffes crochues. Ainsi installé bien au chaud, il suce notre sang. Le pou ne vit pas longtemps, mais il pond plus de 130 œufs (lentes) à la fois !

Invertébré

Poule

La poule est l'animal d'élevage le plus répandu dans le monde. Elle pond dès l'âge de 6 mois, de 70 à 250 œufs par an. Elle couve ses œufs 3 semaines, jusqu'à ce que les poussins sortent. La poule se nourrit en picorant grains de blé, de maïs ou de riz et petits vers.

Oiseau

Puce

La puce mesure à peine 2 ou 3 mm. Grâce à ses 3 paires de pattes, elle fait des sauts impressionnants ! Certaines puces s'agrippent aux poils de l'homme. D'autres préfèrent la fourrure des animaux. Elles piquent la peau pour aspirer un peu de sang… et ça gratte !

Invertébré

Puma

Le puma est un gros chat sauvage. Il vit en solitaire, en Amérique, aussi bien sur les montagnes enneigées que dans les forêts tropicales humides. Son repas préféré se compose de cerfs. Il les approche doucement et leur saute dessus par surprise.

Mammifère

Punaise

Il existe des punaises terrestres et d'autres aquatiques, qui vivent dans l'eau. Ces insectes se nourrissent en aspirant la sève des plantes. Quand elles sont en danger, certaines punaises dégagent une très mauvaise odeur pour repousser l'ennemi !

Invertébré

Putois

Cousin de la belette, le putois vit dans les haies, en bordure des forêts. Il se nourrit surtout de rongeurs, comme les chiens de prairie. Face à un danger, il devient agressif. Il se met à pousser des cris perçants et dégage une très mauvaise odeur !

Mammifère

Python

Le python est le plus gros des serpents. Il peut mesurer jusqu'à 10 mètres et peser plus de 135 kg ! Il n'est pas venimeux, mais il a une force extraordinaire. Il étouffe ses proies entre les anneaux de son corps avant de les avaler. La femelle pond une centaine d'œufs.

Reptile

Ragondin

Le ragondin vit près de l'eau là où la végétation est épaisse car c'est dans ces endroits qu'il aime construire son terrier. Il nage très bien grâce à ses pattes palmées. Il est surtout actif au lever du jour et à la tombée de la nuit.

Mammifère

Raie

La raie est toute plate, avec une fine queue et de grandes nageoires qui ondulent comme des ailes. On dirait un cerf-volant… qui nage à toute vitesse. Ses yeux, minuscules, se trouvent sur le dessus de sa tête, tandis que sa bouche et ses narines se cachent sur son ventre.

Poisson

Rat

Le rat est un rongeur bien connu. Il grignote tout ce qu'il trouve au fil des saisons, avec une nette préférence pour les céréales. Il fait d'ailleurs de gros dégâts dans les champs. Heureusement, il mange aussi les insectes qui menacent les récoltes.

Mammifère

Raton laveur

Le raton laveur est un petit animal qui vit dans les régions boisées, près des lacs ou des rivières. C'est là qu'il trouve sa nourriture préférée : des écrevisses, des grenouilles, des petits poissons et des tortues.

Mammifère

Renard

Le renard est spécialement équipé pour chasser la nuit. Ses yeux voient dans l'obscurité et ses fines oreilles lui permettent de repérer ses proies. Le jour, il se repose dans son terrier. Il pousse toutes sortes de cris : il glapit, il caquète, il gémit, il aboie…

Mammifère

Renne

Le renne, appelé caribou en Amérique, peuple les forêts des régions froides. Le mâle et la femelle portent sur la tête des bois immenses. Ces bois sont utilisés comme des pelles, pour soulever la neige qui recouvre les plantes dont les rennes se nourrissent.

Mammifère

Requin

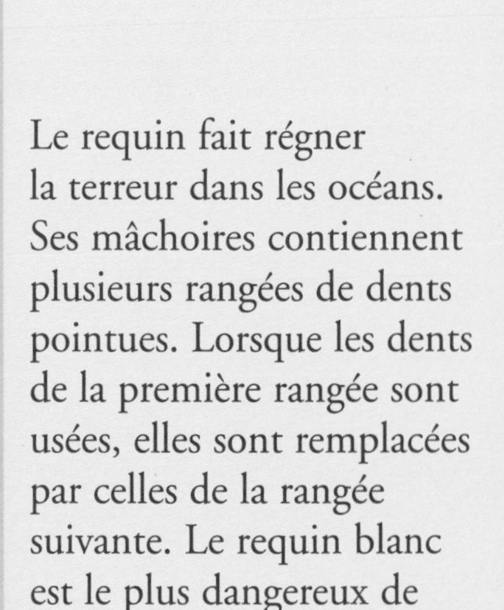

Le requin fait régner la terreur dans les océans. Ses mâchoires contiennent plusieurs rangées de dents pointues. Lorsque les dents de la première rangée sont usées, elles sont remplacées par celles de la rangée suivante. Le requin blanc est le plus dangereux de tous.

Poisson

Rhinocéros

C'est le plus gros animal terrestre après l'éléphant : il pèse entre 2 000 et 3 600 kg. Le rhinocéros blanc, en Afrique, a deux cornes dont il se sert pour se battre. Le rhinocéros indien possède une seule corne. Pour se battre, il utilise ses énormes canines.

Mammifère

Rossignol

Ce petit oiseau est difficile à voir. Il cache son nid dans les feuilles mortes, sous les buissons. Il sautille sur le sol, à la recherche de nourriture. Il picore des insectes et, l'été, des baies et des fruits tendres.
Le jour comme la nuit, il fait des concerts très agréables à entendre.

Oiseau

Rouge-gorge

Ce joli oiseau des bois très familier vient parfois faire un petit tour dans les jardins des villes. Il agite ses ailes et sa queue en permanence, voletant d'un perchoir à un autre. Il sautille dans les feuilles mortes à la recherche de vers, d'insectes et d'araignées.

Oiseau

Salamandre

La salamandre ressemble à un lézard, mais sans écailles. Sa peau est lisse et humide. Elle passe son temps au frais, cachée sous les pierres, la mousse ou les racines de la forêt. Elle s'y nourrit surtout de vers de terre et de limaces.

Amphibien

Sanglier

Le sanglier est un gros porc sauvage. Il vit dans les forêts ou les broussailles, près des mares. Les grandes défenses qui sortent de la bouche des mâles sont en fait des dents… qui ne s'arrêtent jamais de pousser.
La femelle s'appelle la laie, et son petit, le marcassin.

Mammifère

Sarcelle

La sarcelle est un petit canard qui barbote dans les lacs et les marais.
Dans l'eau peu profonde, elle attrape des petits vers.
L'hiver, les sarcelles migrent par milliers vers les régions chaudes. On les voit voler et tournoyer toutes ensemble dans le ciel.

Oiseau

Sardine

Ce petit poisson argenté vit dans la mer, le long des côtes. Des milliers de sardines forment un banc. Elles nagent toutes ensemble, toujours bien groupées. Elles voyagent ainsi parfois très loin, pour trouver à manger, et pour faire des petits.

Poisson

Saumon

Le saumon naît dans l'eau douce des rivières de montagne. Plus tard, il descend le courant... et se retrouve dans l'eau salée de la mer. Il y trouve plein de bonnes choses à manger. Deux ou trois ans plus tard, il revient sur les lieux de sa naissance pour pondre ses œufs, au frais.

Poisson

Sauterelle

La sauterelle est un insecte tout vert. Ses antennes sont aussi longues que son corps. Elle a des ailes pour voler mais ses immenses pattes lui permettent aussi de se déplacer en sautant. La femelle pond ses œufs dans la terre, ou dans la fente de l'écorce d'un arbre.

Invertébré

Scarabée

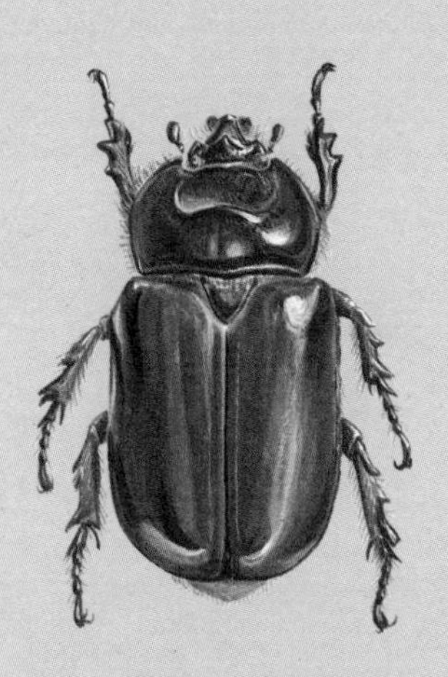

Le scarabée est protégé par deux solides ailes qui forment un vrai bouclier. Tu peux le voir dans la forêt, surtout après la pluie. En effet, cet insecte adore l'humidité. Et, pour son repas, il avale volontiers une bonne chenille.

Invertébré

Scorpion

Le scorpion se déplace très peu. Il vit sous des pierres ou dans des terriers. Il peut même passer des mois sans manger, en vivant au ralenti ! Pour chasser, il attrape ses proies de ses deux pinces et les pique parfois avec l'épine venimeuse (dard) qu'il a au bout de la queue.

Invertébré

Seiche

Cousine du calmar et de la pieuvre, la seiche possède 8 tentacules et 2 grands bras. Pour faire sortir de leur cachette crevettes et petits poissons, elle souffle puis lance rapidement ses deux bras pour les attraper. Sa bouche est cachée au milieu de ses bras.

Invertébré

Soldat

Le soldat, également appelé gendarme, n'est rien d'autre qu'un insecte. Son corps très plat est rouge avec de jolis dessins noirs. Il vit presque partout dans le monde, mais on le voit surtout au printemps et en été. Il se promène alors au pied des arbres dans les jardins.

Invertébré

Souris

Ce petit rongeur grignote tout ce qu'il trouve pour se nourrir mais aussi pour user ses dents de devant qui ne s'arrêtent jamais de pousser. La souris devient maman dès l'âge de 35 jours. Elle peut alors avoir de très nombreux souriceaux.

Mammifère

Tamanoir

Le tamanoir est un fourmilier qui peut atteindre plus de 2 m de long ! De ses griffes pointues, il ouvre les fourmilières et les termitières. Il vit dans les marais et les prairies. Le petit qui vient de naître voyage sur le dos de sa maman.

Mammifère

Taon

Le taon a de très gros yeux. Il vole dans les bois humides et les prairies, près de l'eau. Les mâles aspirent le nectar des fleurs, tandis que les femelles sucent le sang des animaux ou des hommes. Quand l'air est humide, elles s'approchent en silence… et elles piquent.

Invertébré

Tapir

Le tapir est un cousin du rhinocéros, et vit en Asie et en Amérique du Sud. Son long nez lui permet de porter les plantes à sa bouche. C'est un bon nageur, qui aime aussi se rouler dans la boue. Lorsqu'il se sent menacé, il se cache dans la rivière.

Mammifère

Tatou

Le tatou vit dans les forêts tropicales d'Amérique du Sud. Le corps recouvert d'une carapace, il est capable de traverser un cours d'eau en se gonflant d'air pour flotter ! Il peut s'enrouler ou s'enterrer en quelques secondes pour échapper à une attaque.

Mammifère

Taupe

La taupe est un rongeur. Elle vit sous terre, dans les tunnels et les chambres de son terrier. C'est là qu'elle fait ses provisions de vers de terre, de mille-pattes et de larves d'insectes. Ses grosses pattes sont munies de longues griffes aplaties, qui lui servent de pelles.

Mammifère

Taureau

Le taureau est le nom que l'on donne à la vache adulte et mâle. Il marque son territoire en faisant pipi tout autour. Mieux vaut ne pas venir le déranger… Si un imprudent s'approche de trop près, il fonce sur lui, tête baissée, ses grosses cornes en avant !

Mammifère

Thon

Le thon rouge peut atteindre 3 m et peser 700 kg ! Le thon blanc est plus petit. Groupés en bancs, les thons nagent à toute vitesse et font parfois de longs voyages. Ils viennent se nourrir et pondre leurs œufs près des côtes, là où l'eau, moins profonde, est plus chaude.

Poisson

Tigre

Le tigre est un félin qui vit en Asie, dans les jungles et les marécages. Son pelage rayé le camoufle dans les herbes. Excellent chasseur, mais mauvais grimpeur, armé d'énormes griffes et de terribles dents, il peut tuer des animaux bien plus gros que lui, tels que l'éléphant !

Mammifère

Tortue

Il existe des tortues minuscules et des tortues géantes. Certaines d'entre elles vivent sur terre. Elles ont de courtes pattes et marchent très lentement. D'autres habitent dans la mer. Elles ont alors des pattes en forme de nageoires.

Reptile

Toucan

Ce gros oiseau habite dans les forêts tropicales d'Amérique du Sud. Il est très bruyant. Il cueille les fruits dans les arbres grâce à son énorme bec coloré. Il mange aussi des œufs et des oisillons. On le voit parfois lancer sa nourriture en l'air… et la gober au vol !

Oiseau

Tourterelle

La tourterelle aime autant la campagne que la ville. Son chant est un doux roucoulement qu'elle répète pendant des heures. Pour se nourrir, elle avale des graines le plus vite possible puis, une fois à l'abri, mange des petits cailloux, qui lui servent à digérer plus facilement.

Oiseau

Truite

La truite vit dans les rivières froides. Au début de l'hiver, la femelle pond 2 000 œufs d'un coup. Elle les dépose dans un nid, qu'elle creuse dans le gravier au fond de l'eau. Elle se nourrit d'insectes, de crustacés, de mollusques, de grenouilles et d'autres poissons.

Poisson

Vache

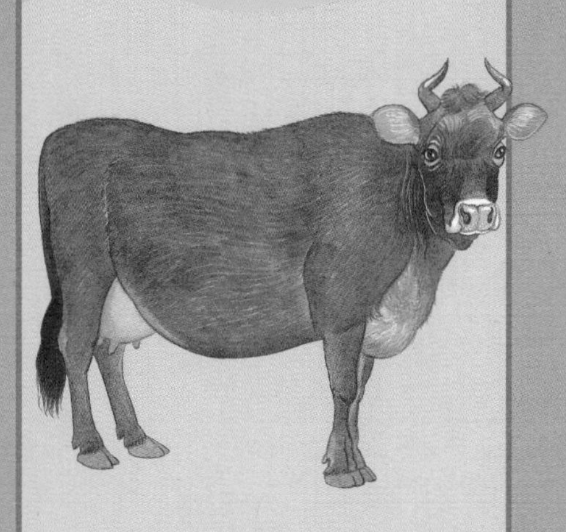

Quand on voit des vaches dans les prés, elles sont toujours en train de paître. Il faut dire qu'elles avalent près de 70 kilos d'herbe en 8 heures ! Grâce à cela, certaines vaches donnent du bon lait et d'autres, de la viande bien tendre. La vache beugle : " Meueuhh ! "

Mammifère

Varan

Aussi appelé dragon de Komodo (à cause de sa langue fourchue), ce reptile est le plus grand lézard du monde. Avec sa queue, il peut mesurer plus de 3 mètres et peser plus de 100 kg ! Le varan dévore presque tous les animaux qu'il rencontre, vivants ou morts.

Reptile

Vautour

Grâce à ses yeux perçants, ce rapace repère de loin les carcasses d'animaux qu'il va pouvoir dévorer. Il se nourrit en effet d'animaux déjà morts. Il vit dans les zones sèches et découvertes. Ses grandes ailes lui permettent de planer dans les airs pendant des heures.

Oiseau

Ver de terre

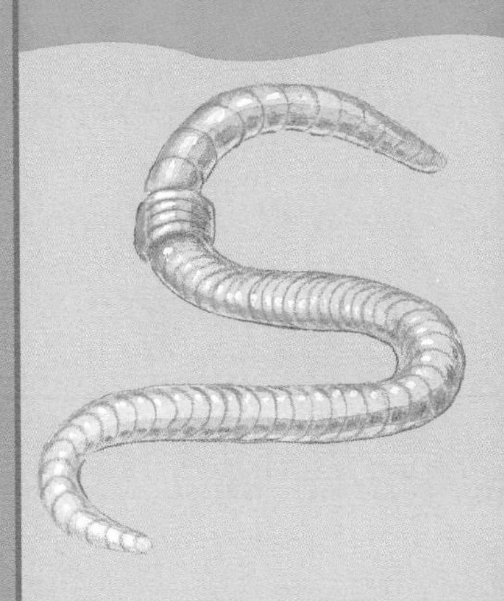

Le verre de terre vit… dans la terre. Il aime le noir et l'humidité. C'est un animal très utile : il creuse des galeries souterraines qui labourent les champs. Son corps, formé de petits anneaux, se tortille dans tous les sens et peut continuer à vivre même s'il est coupé en deux !

Invertébré

Ver luisant

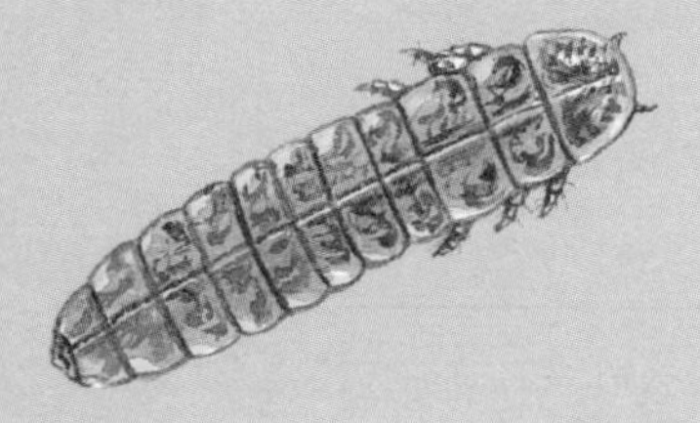

Le ver luisant est un insecte étonnant. La femelle, qui n'a pas d'ailes, possède en effet une petite lumière au bout de son corps. Dès la nuit tombée, elle l'allume. Le mâle peut ainsi la trouver facilement et voler jusqu'à elle sans problème.

Invertébré

Vipère

La vipère est un petit serpent des régions sèches et ensoleillées. Elle se faufile partout, dans les buissons, entre les pierres… Elle porte souvent une tache en forme de V sur le cou. Dès sa naissance, elle empoisonne petits rongeurs et lézards avec le venin de ses crochets.

Reptile

Vison

Cet animal aquatique appartient à la même famille que la belette. C'est un animal actif à la tombée de la nuit qui passe ses journées dans son terrier. Habile chasseur, il s'attaque aux petits rongeurs, lièvres, poissons, grenouilles...

Mammifère

Wallaby

Le wallaby est un marsupial (il a une poche sur le ventre). Il ressemble, en beaucoup plus petit, au kangourou, son plus proche cousin. Comme lui, il habite les régions forestières d'Australie, où il se nourrit de plantes. Il donne l'alarme en tapant le sol avec ses pattes arrière.

Mammifère

Wapiti

Le wapiti est un cerf géant. Il pèse entre 300 et 500 kilos. De plus en plus rare, il ne vit plus que dans les prairies du Canada et des Etats-Unis. Son cri, le brame, s'entend à plus d'un kilomètre et demi à la ronde. Il nage aussi bien qu'il court. Il peut galoper à 50 km/h.

Mammifère

Yack

Le yack est un bœuf de haute montagne. Il vit surtout au Tibet. Ses longs poils le protègent du froid. Domestiqué par l'homme, il peut marcher des heures entières en portant des kilos de marchandises. Il fournit aux hommes de la laine, du cuir, du lait et de la viande.

Mammifère

Zèbre

Très craintif, le zèbre vit en troupeau, uniquement en Afrique. Sa chair fait le régal de nombreux félins... Les jeunes zèbres ont bien du mal à se déplacer sur leurs longues pattes, fines et fragiles. Pour les protéger, leurs parents les cachent dans des buissons.

Mammifère

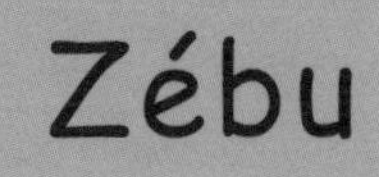

Le zébu est une curieuse espèce de vache. On l'appelle aussi " bœuf à bosse ", à cause de la bosse que l'on remarque sur son cou. On le rencontre en Asie et en Afrique, où il aide souvent les paysans à labourer leurs champs. C'est l'équivalent du bœuf domestique en Europe.

Mammifère

Lexique

Bois : espèce de cornes qui ressemblent à des branches. Les cerfs ou les rennes portent des bois.

Carnivore : animal qui mange de la viande. Le guépard est un carnivore.

Charognard : animal qui mange des animaux déjà morts (charognes). La hyène est un charognard.

Diurne : qui vit le jour. L'aigle est un oiseau diurne.

Félin : animal qui a des moustaches et dont les griffes sont rétractiles (elles sont rentrées quand il marche ou quand il est au repos). Le chat, le lion, le tigre sont des félins.

Femelle : animal de sexe féminin. C'est elle qui donne naissance aux petits. La vache est une femelle.

Herbivore : animal qui mange des plantes. Le cerf est un herbivore.

Hiberner : dormir, parfois en se réveillant de temps en temps, en attendant que l'hiver passe. Les marmottes hibernent. On dit aussi qu'elles sont en état d'hibernation.

Larve : première forme de certains animaux avant l'âge adulte. Les chenilles sont des larves.

Mâle : animal de sexe masculin. Le coq est le mâle de la poule.

Migration : déplacement d'un groupe d'animaux d'un lieu à un autre, souvent à cause du froid et pour trouver de la nourriture. Les canards sauvages sont des oiseaux migrateurs.

Nocturne : qui vit la nuit. La chouette est un animal nocturne.

Proie : animal qui se fait manger par un autre animal. Le lapin est une proie pour le rapace.

Rapace : oiseau avec des griffes (serres) et un bec puissant qui mange d'autres animaux. L'aigle et le vautour sont des rapaces.

Rongeur : animal qui doit toujours grignoter pour user ses dents de devant, car celles-ci poussent tout le temps. L'écureuil et le castor sont des rongeurs.

Serpent : animal au corps allongé et sans pattes. Les serpents avancent en rampant. La grande majorité naissent dans des œufs. La vipère et la couleuvre sont des serpents.

Singe : cet animal a une face sans poils et des membres dont les 5 doigts lui permettent de tenir des objets. Le gorille et le chimpanzé sont des singes.

Tentacule : sorte de long bras que possèdent certains animaux comme la pieuvre ou le calmar.

Venimeux : qui a du venin (poison injecté par piqûre ou morsure). La vipère est un serpent venimeux.